Educación Física

Primer grado

Educación Física. Primer grado fue desarrollado por la Dirección General de Materiales Educativos (DGME), de la Subsecretaría de Educación Básica, Secretaría de Educación Pública.

Secretaría de Educación Pública
Alonso Lujambio Irazábal

Subsecretaría de Educación Básica
José Fernando González Sánchez

Dirección General de Materiales Educativos
María Edith Bernáldez Reyes

Coordinación técnico-pedagógica
María Cristina Martínez Mercado, Ana Lilia Romero Vázquez, Alexis González Dulzaides

Autores
Amparo Juan Platas, Ana Frida Monterrey Heimsatz, Carlos Natalio González Valencia, Israel Huesca Guillén, Jorge Medina Salazar, Leticia Gertrudis López Juárez

Revisión técnico-pedagógica
Amílcar Saavedra Rosas, Daniela Aseret Ortiz Martinez, Ivón Sofía González Miranda, María de los Ángeles García González, Francisco Quirvan Toledo

Asesores
Lourdes Amaro Moreno, Leticia María de los Ángeles González Arredondo, Óscar Palacios Ceballos

Coordinación editorial
Dirección Editorial, DGME/SEP
Alejandro Portilla de Buen, Pablo Martínez Lozada, Zamná Heredia Delgado

Cuidado editorial
Edith Citlali Maya Herrera, Carlos Javier Orozco Hurtado

Producción editorial
Martín Aguilar Gallegos

Formación
María del Sagrario Ávila Marcial

Portada
Diseño de colección: Carlos Palleiro
Ilustración de portada: Martha Avilés

Primera edición, 2010
Segunda edición, 2011 (ciclo escolar 2011-2012)

D.R. © Secretaría de Educación Pública, 2011
Argentina 28, Centro,
06020, México, D.F.

ISBN: 978-607-469-708-7

Impreso en México
DISTRIBUCIÓN GRATUITA-PROHIBIDA SU VENTA

Servicios editoriales (2010)
Grupo Editorial Siquisirí, S.A. de C.V.
Ana Laura Delgado, Sonia Zenteno, Angélica Antonio

Diseño y diagramación
Humberto Brera, Rosario Ponce Perea

Ilustración
Margarita Sada (pp. 4, 12-24, 26, 28, 30-31), Aleida Ocegueda (pp. 4, 36-37, 42, 44-46, 48, 50-51), Esmeralda Ríos (pp. 4, 27, 33-34, 39-41, 52-63, 66-71), Julián Cicero (pp. 5, 64-65, 72-83, 85), Heyliana Flores (pp. 5, 86-98), Francisco de Anda (8)

Agradecimientos
La Secretaría de Educación Pública agradece a los más de 40 284 mil maestros y maestras, a las autoridades educativas de todo el país, al Sindicato Nacional de Trabajadores de la Educación, a expertos académicos, a los coordinadores estatales de Asesoría y Seguimiento para la Articulación de la Educación Básica, a los coordinadores estatales de Asesoría y Seguimiento para la Reforma de la Educación Primaria, a monitores, asesores y docentes de escuelas normales, por colaborar en la revisión de las diferentes versiones de los libros de texto llevada a cabo durante las Jornadas Nacionales y Estatales de Exploración de Materiales Educativos y las Reuniones Regionales, realizadas en 2008 y 2009; así como a la Dirección General de Desarrollo Curricular, Dirección General Educación Indígena, Dirección General de Desarrollo de la Gestión e Innovación Educativa.

La SEP extiende un especial agradecimiento a la Organización de Estados Iberoamericanos para la Educación, la Ciencia y la Cultura (OEI), por su participación en el desarrollo de esta edición.

También se agradece el apoyo de las siguientes instituciones: Universidad Autónoma Metropolitana, Centro de Educación y Capacitación para el Desarrollo Sustentable de la Secretaría del Medio Ambiente y Recursos Naturales, Ministerio de Educación de la República de Cuba.

Asimismo, la Secretaría de Educación Pública extiende su agradecimiento a todas aquellas personas e instituciones que de manera directa e indirecta contribuyeron a la realización del presente libro de texto.

Educación Física. Primer grado
se imprimió por encargo de la Comisión Nacional
de Libros de Texto Gratuitos, en los talleres de
Inmobiliaria y Arrendadora GLD, S.A. de C.V.,
con domicilio Mimosas 31, Col. Santa Ma. Insurgentes, C.P. 06430, México D.F.
en el mes de Junio de 2011.
El tiraje fue de 2, 898,900 ejemplares.

Impreso en papel reciclado

Presentación

La Secretaría de Educación Pública, en el marco de la Reforma Integral de la Educación Básica, plantea una propuesta integrada de libros de texto desde un nuevo enfoque que hace énfasis en la participación de los alumnos para el desarrollo de las competencias básicas para la vida y el trabajo. Este enfoque incorpora como apoyo las Tecnologías de la Información y Comunicación (TIC), materiales y equipamientos audiovisuales e informáticos que, junto con las bibliotecas de aula y escolares, enriquecen el conocimiento en las escuelas mexicanas.

Después de varias etapas, en este ciclo se consolida la Reforma en los seis grados y, en consecuencia, se presenta esta propuesta completa de los nuevos libros de texto, que abarca la totalidad de las asignaturas en todos los grados.

Este libro de texto incluye estrategias innovadoras para el trabajo escolar, demandando competencias docentes orientadas al aprovechamiento de distintas fuentes de información, el uso intensivo de la tecnología, la comprensión de las herramientas y de los lenguajes que niños y jóvenes utilizan en la sociedad del conocimiento. Al mismo tiempo, se busca que los estudiantes adquieran habilidades para aprender de manera autónoma, y que los padres de familia valoren y acompañen el cambio hacia la escuela mexicana del futuro.

Su elaboración es el resultado de una serie de acciones de colaboración, como la Alianza por la Calidad de la Educación, así como con múltiples actores entre los que destacan asociaciones de padres de familia, investigadores del campo de la educación, organismos evaluadores, maestros y expertos en diversas disciplinas. Todos han nutrido el contenido del libro desde distintas plataformas y a través de su experiencia. A ellos, la Secretaría de Educación Pública les extiende un sentido agradecimiento por el compromiso demostrado con cada niño residente en el territorio nacional y con aquellos que se encuentran fuera de él.

Secretaría de Educación Pública

Índice

Aventura 1

Éste soy yo

Retos

Aventura 2

Convivimos y nos diferenciamos

Retos

Aventura 3

Lo que puedo hacer con mi cuerpo en mi entorno

Retos

Aventura 4

¡Puedes hacer lo que yo hago!

Retos

Aventura 5

De mis movimientos básicos al juego

Retos

Conoce tu libro

Este libro se divide en cinco aventuras que tienen divertidos e interesantes retos, en cada uno te sugerimos con quien puedes realizar las actividades, así como el lugar más apropiado para hacerlo: en casa, en la escuela, durante el recreo o durante alguna contingencia.

Iconos

👤 Individualmente

👥 Con compañeros o amigos

👪 Con la ayuda de un adulto

🌳 En un lugar abierto

⛰ En un lugar cerrado

En las primeras páginas del libro encontrarás:

Bitácora de juegos y ejercicio
La bitácora te ayudará a formar el hábito de la actividad física todos los días, al programar y registrar tus actividades; revisa las instrucciones en la página 8.

▷

Al iniciar cada aventura habrá una presentación:

 ▷

Presentación de la aventura
Se describe el propósito de los retos que la integran.

Cada reto se forma por las siguientes partes:

Nombre del reto

Iconos

Materiales

Propósito del reto

Descripción e instrucciones

Imagen y color que identifica la aventura.

Para el adulto
Espacio para que tu tutor registre tu aprendizaje.

Reflexión
Espacio para pensar acerca de tus aprendizajes y la utilidad de éstos en tu vida.

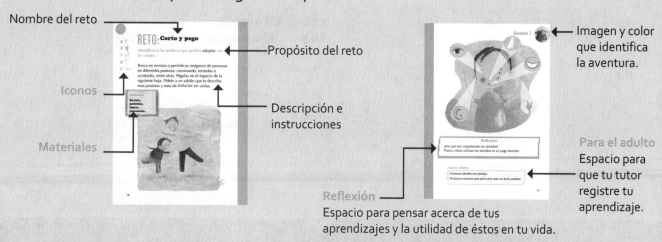

Al final de cada aventura encontrarás:

Mis experiencias

Aquí expresarás lo que aprendiste en los retos de toda la aventura.

Tu libro tiene las siguientes secciones:

Consulta en...

Sugerencias para revisar libros de la biblioteca o páginas web, en compañía de un adulto, para conocer más sobre lo que trabajarás en los retos.

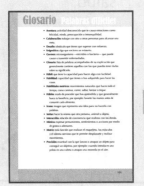

Glosario

Aquí encontrarás el significado de las palabras que están resaltadas en color rosa. Si hay una palabra que no se incluya en el glosario busca su significado y escríbelo en un cuaderno.

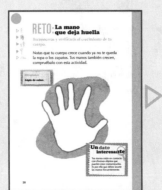

Un dato interesante

Es información interesante relacionada con los temas tratados en los retos.

Bitácora de juegos y ejercicio

Al principio de cada mes, programa y anota en el calendario de la Bitácora de juegos y ejercicio las actividades que quieres llevar a cabo en ese periodo.

Para ello considera las siguientes recomendaciones:

- Hacer actividad física por lo menos cinco días a la semana ayuda a mantenerte sano. Busca un lugar adecuado y seguro.

- Procura que tu alimentación sea correcta.

- Cuando haces ejercicios es recomendable que tomes agua simple potable.

- Visita al médico y verifica tu estado de salud.

- Prepara tu cuerpo antes de hacer actividad física.

- Para mantener una buena salud y recuperar energía es necesario que descanses.

- Después de hacer actividad física es necesario asearte para sentirte más cómodo y limpio, además de evitar enfermedades.

Instrucciones

Al inicio de cada mes programa las actividades físicas que realizarás. Para ello, colorea los recuadros del calendario, según el siguiente código de colores.

Si necesitas agregar actividades que no están anotadas, asígnales un color diferente a los que aquí aparecen.

🔹 Sesiones de Educación Física
🔹 Algún entrenamiento deportivo
🔹 Retos del libro
🔹 Reuniones de juego con amigos
🔹 Ejercicio físico con mi familia
    Otras (especifica)

En el calendario señala con una paloma (✓) el día que sí hiciste la actividad programada. Al final del mes tendrás el registro de las actividades que realizaste y las que no.

Ejemplo:

SEPTIEMBRE						
D	L	M	M	J	V	S
🔹	🔹🔹		🔹	🔹🔹	🔹	
		🔹		🔹		🔹🔹
🔹🔹	🔹🔹	🔹	🔹🔹🔹	🔹	🔹	🔹
	🔹			🔹🔹	🔹🔹	🔹
🔹🔹	🔹	🔹🔹		🔹		🔹🔹

Al final de cada aventura habrá un espacio para que hagas un balance sobre la actividad física que programaste y realizaste.

AGOSTO

D	L	M	M	J	V	S

SEPTIEMBRE

D	L	M	M	J	V	S

OCTUBRE

D	L	M	M	J	V	S

NOVIEMBRE

D	L	M	M	J	V	S

DICIEMBRE

D	L	M	M	J	V	S

ENERO

D	L	M	M	J	V	S

FEBRERO

D	L	M	M	J	V	S

MARZO

D	L	M	M	J	V	S

ABRIL

D	L	M	M	J	V	S

MAYO

D	L	M	M	J	V	S

JUNIO

D	L	M	M	J	V	S

JULIO

D	L	M	M	J	V	S

Éste soy yo

En esta **aventura** encontrarás retos orientados a reconocer tu cuerpo, las maneras en que puedes utilizarlo y cuidarlo para sentirte seguro y con confianza.

RETO: **Parte por parte hasta movilizarte**

Ubicarás las partes de tu cuerpo.

Colorea las figuras. Haz distintos movimientos con las partes de tu cuerpo que vas coloreando.

Materiales:

Lápices de colores.

Menciona y señala en el dibujo de la página anterior la cabeza, el tronco, los brazos y las piernas. Después señala estas partes en tu cuerpo y en el de tus familiares.

Reflexión

Comenta:
¿Por qué es importante conocer tu cuerpo?

PARA EL ADULTO

☐ El alumno distingue diferentes movimientos que puede realizar con su cuerpo.

☐ El alumno identifica las partes de su cuerpo.

RETO: **Corto y pego**

Identificarás las posturas que puedes **adoptar** con tu cuerpo.

Busca en revistas o periódicos imágenes de personas en diferentes posturas: caminando, sentadas o acostadas, entre otras. Pégalas en el espacio de la siguiente hoja. Pídele a un adulto que te describa esas posturas y trata de imitarlas sin verlas.

Materiales:

Revista, periódico, tijeras, pegamento.

Espacio para pegar tus recortes

Reflexión

De las imágenes que recortaste, menciona cuál fue la más fácil de adoptar.

PARA EL ADULTO

☐ El alumno adopta diferentes posturas con su cuerpo.

☐ El alumno pasa de una postura a otra con facilidad.

RETO: ¡Qué emoción!

Distinguirás emociones que puedes manifestar por medio de la cara.

Busca en revistas o periódicos una cara completa y recórtala por la mitad. Pega esa parte junto a la línea de centro del cuadro. Dibuja la otra mitad para completarla.

Materiales:

Revista, periódico, tijeras, pegamento, lápices de colores.

Espacio para pegar y dibujar

Comenta con un compañero la emoción que expresa tu dibujo.

Juega con alguien a expresar distintas emociones como las que se muestran abajo, utiliza todo tu cuerpo.

Reflexión

Comenta:
¿Qué emociones expresas al realizar tus actividades favoritas?

RETO: **Me sirve para...**

Identificarás los sentidos que utilizas en tus actividades diarias.

Utiliza tus sentidos para realizar diversos juegos; después, dibújalos en los espacios siguientes.

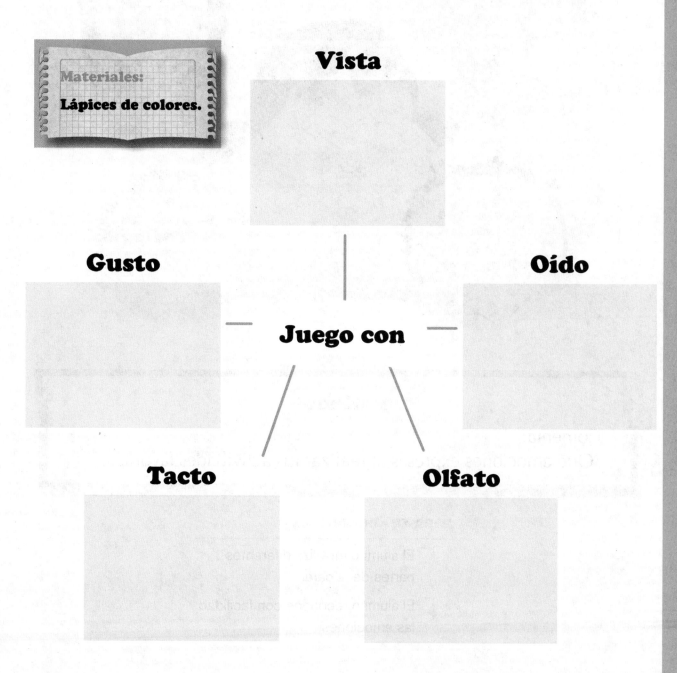

Materiales:
Lápices de colores.

Vista

Gusto

Oído

Juego con

Tacto

Olfato

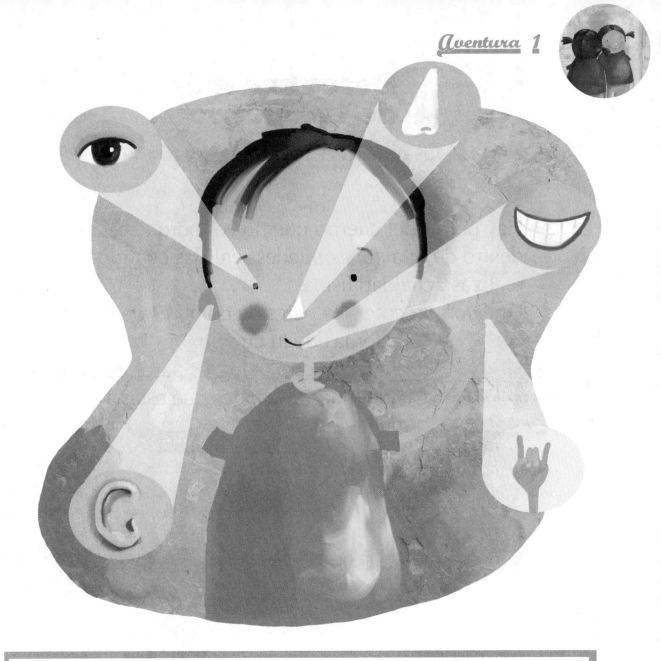

Reflexión

¿Por qué son importantes tus sentidos?
Platica cómo utilizas los sentidos en tu juego favorito.

RETO: **Descubre más de tu cuerpo**

Sentirás los movimientos de tu corazón y pulmones.

Hay partes del cuerpo que no ves porque están dentro de ti; algunas puedes sentirlas cuando realizas actividad física.

Une con un color los pares de nombres de las partes externas de tu cuerpo.

Une con otro color los pares de dibujos que muestran partes que están dentro del cuerpo.

Materiales:

Lápices de colores.

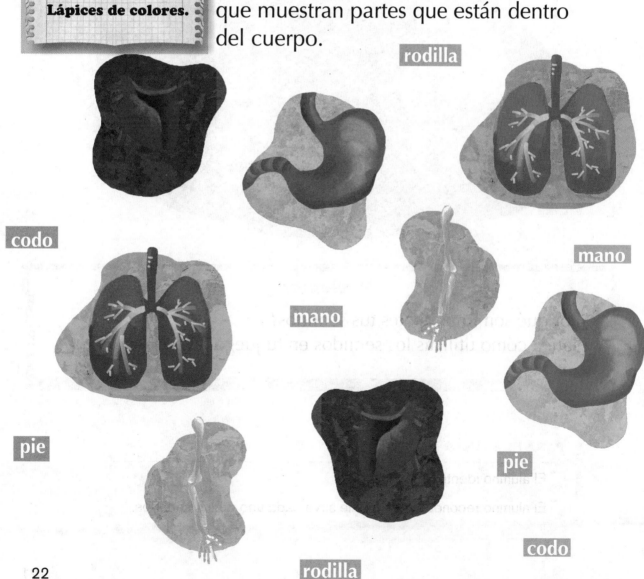

rodilla

codo

mano

mano

pie

pie

codo

22

rodilla

Para sentir cómo aumentan los latidos de tu corazón y respiración, juega a los encantados con tus amigos.

Reflexión

Comenta:
¿Qué partes del cuerpo sentiste cuando realizaste actividad física?
Describe cómo las sentiste.

Consulta en...

Para conocer más acerca de tu cuerpo consulta la página web: http://ares.cnice.mec.es/ edufisica/c/01/index.html

PARA EL ADULTO

☐ El alumno identifica los movimientos de su corazón y pulmones.

☐ El alumno identifica sensaciones que ocurren en el interior de su cuerpo.

RETO: **Así puedo hacerlo**

Identificarás los juegos que te parecen fáciles o difíciles de realizar.

Juega con tus amigos a los quemados, al trompo, al balero, a volar un papalote, a saltar la cuerda o a un juego del lugar donde vives.

Materiales:

Papalote, balero, cuerda individual, trompo.

De los juegos en los que participaste, comenta con un adulto cuáles te parecieron fáciles o difíciles. Pídele que escriba tus comentarios en la tabla siguiente.

Juego	Me pareció fácil porque...	Me pareció difícil porque...

Reflexión

Comenta:
¿Con qué juego te diviertes más?

RETO: **Verduras y frutas del lugar donde vivo**

Reconocerás diferentes verduras y frutas que tienen vitaminas y te ayudan a mantenerte sano.

Comenta, ¿qué verduras y frutas conoces? Pide a un adulto que te ayude a identificar las que no conoces. Obsérvalas en el mercado y pruébalas. Luego dibújalas o recórtalas, de algún periódico o revista, y pégalas en el espacio que corresponde.

Materiales:

Revista, periódico, tijeras, pegamento.

Verduras	Frutas

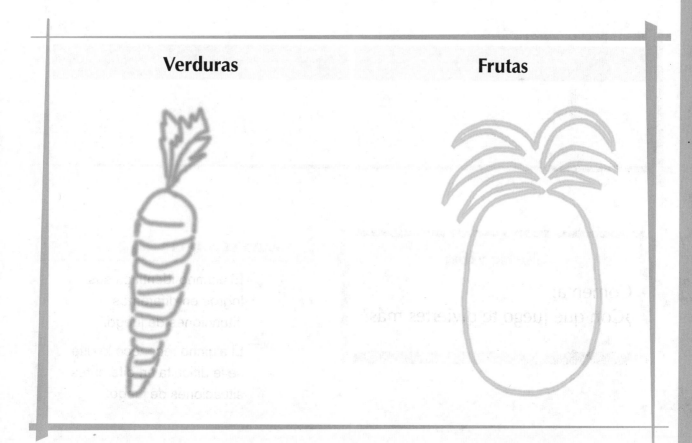

Invita a tus compañeros a jugar "Ensalada de frutas". En este juego, los participantes deberán formar un círculo o un cuadrado. Cada uno elegirá el nombre de una fruta y al escucharlo, deberán cambiarse de lugar rápidamente con otro compañero. Así lo harán hasta que hayan participado todos. El juego también se puede llamar "Ensalada de verduras", ¡inténtalo!

¡ensalada de frutas!

Reflexión

Comenta:
¿Cuáles son tus verduras y frutas favoritas?
¿Cómo es su color?,
¿y su olor?

Consulta en...

Conoce más acerca de las verduras y frutas en el libro de Françoise Rastoin-Faugeron y Benjamín Chard, *La alimentación*, México, SEP-Larousse, 2006 (Libros del Rincón, Biblioteca Escolar).

PARA EL ADULTO

☐ El alumno identifica por su nombre las verduras y las frutas.

☐ El alumno identifica la importancia de incluir verduras y frutas en su alimentación.

RETO: La mano que deja huella

Reconocerás y verificarás el crecimiento de tu cuerpo.

Notas que tu cuerpo crece cuando ya no te queda la ropa o los zapatos. Tus manos también crecen, compruébalo con esta actividad.

Materiales:

Lápiz de color.

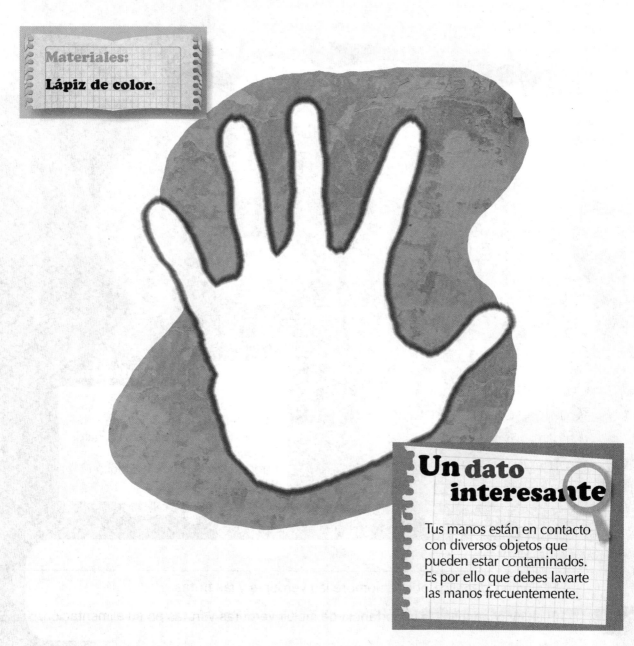

Un dato interesante

Tus manos están en contacto con diversos objetos que pueden estar contaminados. Es por ello que debes lavarte las manos frecuentemente.

Coloca la palma de tu mano en el recuadro, separa tus dedos ligeramente y traza el contorno con el lápiz de color.

Al término del ciclo escolar, traza nuevamente el contorno de tu mano para que observes tu crecimiento.

Reflexión

Expresa de qué otra forma puedes observar tu crecimiento.

RETO: **Limpieza de pies a cabeza**

Analizarás la importancia de la higiene para mantener una buena salud.

Cuando te bañas, eliminas **gérmenes** que son dañinos para la salud. Intenta bañarte con los ojos cerrados; localiza el jabón, el estropajo y la toalla con ayuda de otros sentidos.

Materiales:

**Jabón,
toalla,
estropajo,
lápices de colores.**

Cuida el agua. Cierra la llave cuando te jabones.

Dibuja y describe lo que sentiste.

Mi cuerpo después de hacer ejercicio	Mi cuerpo después de bañarme

Reflexión

Explica por qué es necesario bañarse.

Consulta en...

Para saber más sobre los gérmenes revisa el libro de Ross Collins, *Gérmenes*, México, SEP-Planeta, 2006 (Libros del Rincón, Biblioteca Escolar).

PARA EL ADULTO

☐ El alumno reconoce la importancia de la higiene.

RETO: Derecha, izquierda

Comprobarás cuál es el lado más hábil de tu cuerpo: el derecho o el izquierdo.

Realiza las acciones y anota con cuál lado de tu cuerpo fue más fácil llevarlas a cabo.

Mi lado hábil es:

Acción:	Izquierdo	Derecho
lanzar		
jalar		
empujar		
atrapar		
lanzar		
jalar		
empujar		
patear		

Reflexión

Comenta:

¿Cuál es el lado más hábil de tu cuerpo?

Realiza acciones con el lado menos hábil de tu cuerpo, ¡seguramente te divertirás!

Un dato interesante

El lado derecho de tu cerebro te ayuda a reconocer imágenes y olores y el lado izquierdo, números y letras.

PARA EL ADULTO

☐ El alumno identifica las partes de su cuerpo con las que tiene mayor habilidad.

RETO: Nadie como yo

Identificarás actividades y juegos que realizas con tu cuerpo.

Además descubrirás algunas habilidades, emociones y gustos.

Materiales:

Lápices de colores.

Elige algunas imágenes que hayas utilizado en Educación Física. Con ellas inventa juegos o actividades que sean de tu agrado.

34

Dibuja un juego o actividad que hayas inventado y explica cómo te sentiste.

Reflexión

¿Qué tomaste en cuenta para inventar tu juego?
Explica cómo te sentiste al inventar tus juegos.

PARA EL ADULTO

☐ El alumno expresa lo que siente al inventar un juego.

MIS EXPERIENCIAS

Recuerda llenar tu bitácora

Realiza un dibujo de tu cuerpo. Agrega objetos y actividades que te gustan y personas con quien convives.

Bitácora de juegos y ejercicio
Revisa en el calendario los meses de septiembre y octubre, y comenta con tus compañeros.

¿Cuántas actividades realizaste en estos meses?

¿Quién sería un buen compañero para realizar actividad física contigo? ¿Por qué?

Convivimos y nos diferenciamos

En esta aventura observarás las diferencias que existen entre las personas. Al realizar actividades de **colaboración** y convivencia podrás valorar tus habilidades y las de otros.

RETO: **Pasaporte a la diversión**

Describirás tus características físicas y las de otras personas.

Para continuar tu recorrido por ésta y las siguientes aventuras; es necesario que el adulto que te acompaña, un amigo o compañero y tú tengan un pasaporte de identificación. En la página 101 encontrarás los otros dos pasaportes para que cada quien tenga su propia cédula de identificación.

PASAPORTE A LA DIVERSIÓN

Datos del titular

Nombre:_____

Apellidos: _____

Fecha de nacimiento: _____

Dirección: _____

_____

Estado civil:_____

Estatura:_____ Peso:_____

Color de ojos: _____

Color de piel:_____

Tipo de cabello:_____

Señas particulares:_____

Foto/dibujo

Huella digital

_____
Firma de titular

Al término de cada aventura, sella o coloca una paloma (✓) a la aventura que has terminado.

Reflexión

Al escribir los datos en los pasaportes, ¿qué diferencias físicas identificaste?

Comenta: ¿Por qué es importante que conozcas tus datos personales?

PARA EL ADULTO

☐ El alumno identifica las diferencias de las personas que le acompañan en este reto.

☐ El alumno reconoce la importancia de conocer los datos personales.

Consulta en...

Conoce más acerca de las características físicas, en el libro de Enrique Ortiz Moreno, *Nariz de papá, cabello de mamá. Los rasgos físicos y el respeto a la diversidad*, México, SEP-Enrique Ortiz Moreno, 2007 (Libros del Rincón, Biblioteca Escolar).

RETO: Prueba y comprueba

Identificarás las diferencias entre tus habilidades y las de otros compañeros.

Organizados por tercias, decidan quién observa y quiénes realizan el siguiente recorrido.

Materiales:

Botellas plásticas de reúso, cajas o cubetas.

Una vez organizado su recorrido, primero pasa uno y luego el otro, lo importante es que vean sus diferencias al realizar los movimientos.

Reflexión

Explica:

¿Por qué algunas personas tienen más facilidad que otras para realizar movimientos?

¿Qué harías para tener mayor control de tus movimientos?

PARA EL ADULTO

☐ El alumno participa activamente en la organización de su recorrido.

☐ El alumno acepta que algunos tienen mayor control de los movimientos y otros no logran controlarlos bien.

RETO: La báscula y la cinta

Observarás y comprobarás que existen diferencias físicas entre las personas, como el peso y la estatura.

Pídele a un adulto que te pese y te mida, en los meses indicados, en la tabla de la siguiente página. Después compara tus datos con los de otras personas.

Materiales:

Cinta métrica, una báscula, un lápiz.

Un dato interesante

En la cartilla Nacional de Salud se lleva un control para la prevención de enfermedades; además, de registrar tu peso y talla, se anotan las vacunas que te han puesto y las que aún necesitas.

Registra los datos en el siguiente cuadro.

Persona	Peso		Estatura	
	noviembre	mayo	noviembre	mayo
Yo				
Un compañero de tercer grado				
Un compañero de sexto grado				
Tu maestro				

Revisa y comenta con tu grupo los datos de la tabla e identifica las diferencias que encontraron.

Reflexión

Platica: ¿Por qué somos diferentes?
Comenta: ¿Por qué piensas que existen esas diferencias?

Consulta en...

Si quieres saber por qué se acelera el corazón al hacer ejercicio o para qué sirve el sudor revisa el libro de Yun-Jeong de Hong, *Las señales del cuerpo*, México, SEP-Santillana, 2009 (Libros del Rincón, Biblioteca de Aula).

PARA EL ADULTO

☐ El alumno observa las diferencias en los datos obtenidos en la tabla.

RETO: **Saltamos juntos**

Sugerirás diferentes maneras de sostener la cuerda para realizar un recorrido.

Dibuja dos aviones como los que se muestran en la imagen. Para jugar, cada quien sujetará un extremo de la cuerda y, sin soltarla, recorrerán el avión al mismo tiempo.

Materiales:

Gises, cuerda.

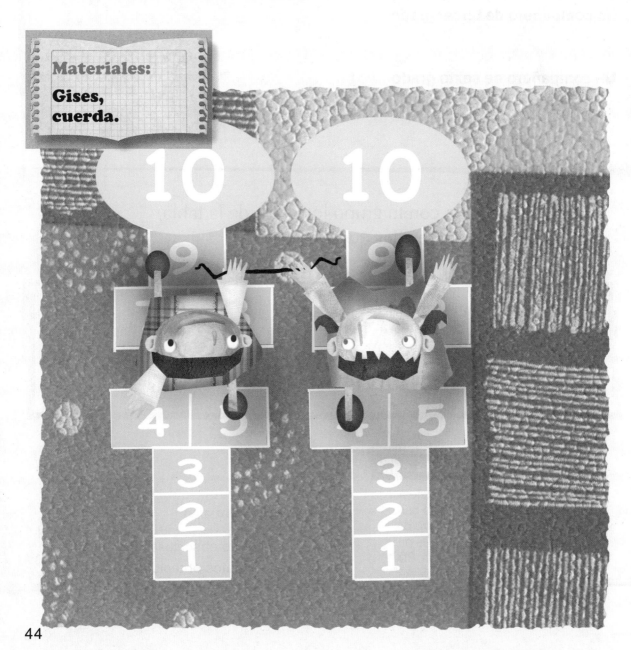

Reflexión

Explica qué hicieron para solucionar las dificultades que se presentaron durante el juego.

PARA EL ADULTO

☐ El alumno respeta el ritmo de desplazamiento de su compañero.

☐ El alumno propone diferentes formas de sostener la cuerda.

RETO: Mi colaboración es importante

Tomarás decisiones para colaborar en las actividades diarias de tu casa.

Tú puedes tomar decisiones para colaborar en las actividades diarias de tu casa. Participa en aquellas actividades en las que consideres que puedes colaborar. Después, dibuja en qué actividad participaste durante ese día. La buena convivencia depende de la participación de todos.

Materiales:

Lápices de colores.

Dibuja las actividades del día.

Mañana	Tarde	Noche

Reflexión

Explica: ¿Por qué es importante colaborar en el hogar?
¿Cómo podrías participar en los acuerdos para colaborar en el hogar?

PARA EL ADULTO

☐ El alumno se muestra colaborativo en las actividades del hogar.

☐ El alumno participa con los demás cuando es necesario.

Consulta en...

Para escuchar un cuento de la familia Mingui sobre la colaboración en el hogar visita la página web: http://www.sepiensa.org.mx/sepiensa2009/nyn.html

RETO: **Gotitas saladas**

Identificarás los cambios en tu cuerpo y en el de los demás cuando hacen alguna actividad física.

Observa cómo suda tu cuerpo y cómo sudan tus compañeros mientras hacen una actividad física y cuando la terminan.

Anota tus observaciones en la siguiente tabla.

¿Qué actividad realizamos?	¿Qué ocurrió en mi cuerpo?	¿Qué ocurrió en el cuerpo de mis compañeros?

Investiga con tu maestro o en la Biblioteca Escolar por qué se produce el sudor.

Reflexión

Platica: ¿Qué diferencias encontraste al observar a tus compañeros?
¿Cómo puedes recuperar el agua que perdiste al sudar?

Un dato interesante

Con su sudor, en un día los niños podrían llenar medio bote de leche, pero cuando hace mucho calor el sudor producido podría llenar hasta tres botes.

PARA EL ADULTO

☐ El alumno identifica las diferencias entre su cuerpo y el de los demás, después de realizar actividad física.

49

RETO: **Organizo mi día**

Organizarás y realizarás diferentes actividades para aceptar las diferencias de los demás, estableciendo acuerdos para mejorar la convivencia.

Observa detenidamente las imágenes y ordénalas con un número (1, 2, 3, 4) según sucedieron durante el día.

Materiales:

Lápiz, sábana, cuerda.

Ahora, con la ayuda de un adulto, construye un refugio como el de la imagen de la página siguiente. Procura que sea un lugar seguro para evitar accidentes.

Organicen entre todos las actividades y los juegos que prefieran.

Reflexión

Comenta:
¿Qué acuerdos tomaron para construir su refugio?
¿Cuáles fueron tus diferencias en relación con los demás?

Recuerda llenar tu bitácora

MIS EXPERIENCIAS

Realiza un dibujo acerca de tu colaboración y la de tus compañeros en una actividad en equipo.

Bitácora de juegos y ejercicio
Revisa en el calendario los meses de noviembre y diciembre, y comenta con tus compañeros.

¿Cuántas actividades realizaste en estos meses?

¿Por qué es importante hacer ejercicio?

Al término de cada aventura, sella o coloca una paloma (✔) en tu pasaporte.

Lo que puedo hacer con mi cuerpo en mi entorno

En las anteriores aventuras, por medio de la convivencia, conociste tu cuerpo y el de los demás. Ahora descubrirás otras posibilidades de movimiento y, al mismo tiempo, tendrás la oportunidad de explorar el lugar donde vives.

RETO: La sombra que me asombra

Identificarás las diferentes formas y tamaños que puedes representar con tu cuerpo.

Durante un día soleado, busca tu sombra. Mueve distintas partes de tu cuerpo e inventa posiciones chuscas. Observa el tamaño de tu sombra y compárala con las de tus compañeros. Juega a pisar la sombra de otro, y trata de evitar que pisen la tuya. Inventen figuras.

Reflexión

Comenta:
¿Qué puedes hacer para modificar el tamaño y la forma
de tu sombra?

RETO: La oca del planeta

Identificarás los factores que dañan el ambiente y sabrás cómo puedes participar en su cuidado.

Materiales:

Tablero de la oca, fichas de colores, un dado.

Pídele a un adulto que juegue contigo y te oriente en tus respuestas. Consigue un dado e invita a jugar a tus compañeros. Encontrarán las instrucciones más adelante.

Cada jugador tendrá una ficha de color, con la que avanzará un número de casillas, dependiendo del número de puntos obtenidos al lanzar el dado.

Cuando la ficha caiga en las casillas 5, 11 o 15 de la oca (ganso), volverá a avanzar el mismo número de casillas, según el número de puntos de la última vez que lanzó el dado.

Cuando la ficha caiga en las casillas 6, 10, 12 o 16, deberá comentar cómo se afecta el ambiente con la acción que aparece en la casilla en la que se encuentra su ficha.

Cuando la ficha caiga en las casillas 1, 3, 8, 17 o 21, deberá **imitar** con su cuerpo el movimiento del animal en riesgo de extinción que aparece en la casilla en la que se encuentra su ficha.

Cuando la ficha caiga en las casillas 4, 9, 14, 18 o 20, deberá elegir a un compañero y hacerle una pregunta relacionada con la imagen de la casilla en la que cayó su ficha.

Cuando la ficha caiga en las casillas 2, 7, 13 o 19, deberá comentar algo sobre la imagen de la casilla en la que está su ficha.

Además de tu higiene personal es necesario que ayudes a mantener el ambiente limpio.

Reflexión

Explica:
¿Cuáles son los principales factores que contaminan el lugar donde vives?
¿Qué puedes hacer para beneficiar al ambiente?

Consulta en...

Para tener más información sobre el cuidado del lugar donde vives revisa la página web: http://www2.ine.gob.mx/ines/index.htlm

PARA EL ADULTO

☐ El alumno distingue los efectos negativos del deterioro ambiental.

☐ El alumno reconoce posibles acciones para preservar el ambiente.

RETO: Dibujando en la espalda

Identificarás distintas formas con el sentido del tacto.

Pide a un adulto que seleccione uno de los trazos que se presentan abajo. Explícale que, sin decirte cuál eligió, lo trace con un dedo en tu espalda. Trata de identificar cuál es y dibújalo en la página siguiente.

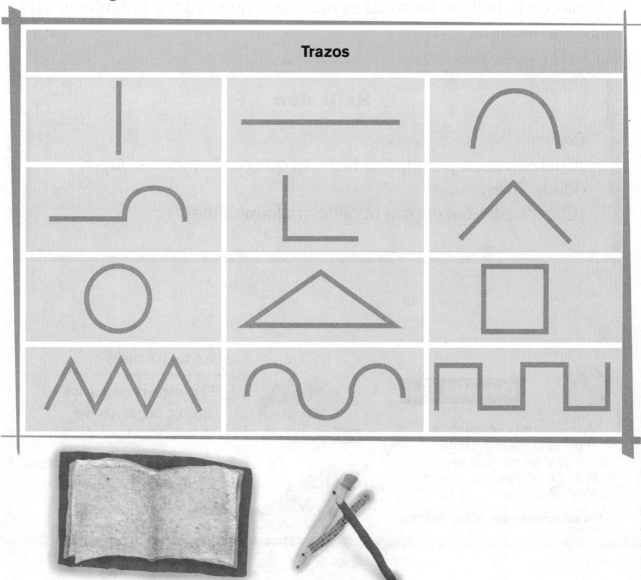

Trazos

60

Mis trazos

Te desafiamos a representar algunos trazos con tu cuerpo.

Es tu turno de hacer trazos en la espalda de un adulto.

Reflexión

Comenta:
¿Qué sentiste cuando hiciste los trazos en la espalda?
¿Qué fue más fácil: identificar los trazos en tu espalda o representarlos con tu cuerpo? ¿Por qué?

PARA EL ADULTO

☐ El alumno reconoce los trazos que se le hicieron.

☐ El alumno registra la información que siente a través de su cuerpo.

RETO: **Siento tus corazonadas**

Sentirás los latidos de tu corazón.

El corazón envía sangre a todo el cuerpo. ¿Qué le pasa al corazón cuando tus movimientos son lentos?, ¿qué le sucede cuando son muy rápidos? ¡Vamos a averiguarlo con la ayuda de un adulto que registre lo que tú dices!

Pídele a un familiar que te permita sentir los latidos de su corazón.

Primero deberá estar en reposo y tranquilo, pon tu mano en su pecho y siente los latidos de su corazón. Regístralo en la tabla. Ahora pídele que realice una actividad física; vuelve a poner tu mano en su pecho. Registra lo que sentiste esta vez.

Familiar	Actividad realizada	El latido se siente...
En reposo		
En actividad física		

Ahora es tu turno, siente tu corazón y compara tus latidos cuando estás en reposo y después de realizar alguna actividad física.

Reflexión

Explica:
¿Qué diferencia encontraste en los latidos antes de la actividad y después de ella?
¿En qué te beneficia realizar actividad física?

Consulta en...

Para tener más información sobre cómo funciona tu cuerpo revisa el libro de José Manuel Sánchez Rojas, *Soy tu cuerpo,* México, SEP-Trillas, 2009 (Libros del Rincón, Biblioteca de Aula).

PARA EL ADULTO

☐ El alumno diferencia entre los latidos del corazón en reposo y después de una actividad física.

☐ El alumno reconoce la importancia de realizar actividad física.

Un dato interesante

El tamaño de tu corazón es similar al tamaño de tu puño.

RETO: **Piedras y plumas**

Diferenciarás los movimientos rápidos y lentos.

Necesitas la ayuda de tus compañeros de juego.

Materiales:

Bote y un palo pequeño.

Un compañero sostendrá el bote de metal y un palo pequeño, y se ubicará detrás de los demás. Cuando él golpee con el palo la orilla del bote, los demás responderán con movimientos ligeros; pero si golpea el centro del bote, lo harán con movimientos pesados.

Primero muevan sólo la cabeza, los brazos o las piernas, después inténtenlo con todo su cuerpo. ¡Dejen que fluya el movimiento!

Reflexión

Durante tu sesión de Educación Física, ¿en qué actividades realizas movimientos pesados?
¿En cuáles haces movimientos ligeros?
Coméntalo con tus compañeros.

PARA EL ADULTO

☐ El alumno reacciona sin dificultad a los cambios de sonidos.

RETO: A tu medida

Utilizarás diferentes partes de tu cuerpo o materiales de Educación Física para medir distancias de un lugar a otro de tu escuela.

Materiales:
Gises, moneda.

Midan varias distancias y completen la siguiente tabla.

Desde	Hasta	Parte del cuerpo o material utilizado	Cómo lo utilizaste	Cuánto midió
La puerta del salón	Mi banca dentro del salón	pies	Pasos cortos	10 pasos
Los baños	El centro del patio	cuerdas	extendidas	8 cuerdas

Reflexión

¿Qué partes de tu cuerpo utilizaste para medir distancias?
Comenta en qué situaciones de la sesión de Educación Física
utilizas tu cuerpo para medir distancias.

PARA EL ADULTO

☐ El alumno busca diferentes opciones de movimientos para medir las distancias.

☐ El alumno establece acuerdos con sus compañeros.

RETO: **Medimos fuerzas**

Identificarás actividades en las que necesitas emplear fuerza.

Diario utilizas la fuerza, por ejemplo: al abrir la llave del agua, al patear un balón, al cargar la mochila, cuando paseas en bicicleta o cuando te cuelgas de la rama de un árbol. Realiza las actividades que se ilustran en la imagen.

Materiales:

Jarra de plástico con agua, cuerda.

De las cuatro actividades, ¿en cuál necesitaste más fuerza?

Reflexión

En tu vida diaria, ¿en qué actividades haces un mayor esfuerzo?

Un dato interesante

Realizar actividades en las que se requiere un esfuerzo excesivo puede ocasionar lesiones y detener el crecimiento del cuerpo.

PARA EL ADULTO

☐ El alumno reconoce que aplica diferente fuerza, dependiendo de la actividad que realiza.

RETO: Construimos pistas

Utilizarás distintas formas de mover tu cuerpo y explorar tu entorno.

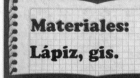

Materiales:
Lápiz, gis.

Avión 1

Observa la imagen: el avión tradicional tiene 10 cuadros y el avión 1 tiene 12 cuadros; sin embargo, en los dos aviones debes dar ocho saltos. Que un adulto te ayude a dibujarlos en el suelo y... ¡atrévete a saltarlos!

Ahora es tu turno para diseñar dos nuevos aviones. Primero dibújalos en la siguiente página. Tú decides el número de saltos. Después, dibújenlos en el suelo. Utiliza otras figuras (círculos, triángulos o rectángulos) para diseñar tus aviones.

Avión 2	Avión 3

Reflexión

Comenta:

¿Qué tomaste en cuenta para elegir el lugar donde dibujaste tu avión?

¿Qué dificultades encontraste al recorrer los aviones y cómo las resolviste?

PARA EL ADULTO

☐ El alumno es creativo al modificar las pistas.

☐ El alumno mantiene el equilibrio durante el juego al saltar las pistas.

Recuerda llenar tu bitácora

MIS EXPERIENCIAS

Dibújate en el lugar donde vives jugando con los objetos que más te gustan.

Bitácora de juegos y ejercicio

Revisa en el calendario los meses de enero y febrero, y comenta con tus compañeros.

¿Cuántas actividades realizaste en estos meses?

De los juegos que realizas, ¿cuáles te ayudan a mejorar tu salud?

Al término de cada aventura, sella o coloca una paloma (✔) en tu pasaporte.

¡Puedes hacer lo que yo hago!

En la aventura anterior comprobaste que puedes crear y poner en juego tus movimientos. Ahora demostrarás nuevas habilidades y usarás tu creatividad al participar en retos con desafíos interesantes.

RETO: Adivinanzas en movimiento

Comunicarás y expresarás ideas y acciones por medio de diferentes movimientos.

Invita por lo menos a tres compañeros, formen dos equipos. Un participante, sin hablar, tratará de comunicar con movimientos alguna de las siguientes acciones: andar en bicicleta, barrer, bailar o nadar y otras. El otro equipo adivinará de cuál se trata. Inventen otros juegos con **mímica**.

Reflexión

Comenta:
¿Qué te parece comunicarte sin utilizar las palabras?
¿Por qué?

Un dato interesante

Las personas tienen la posibilidad de comunicar información de distintas maneras: con la escritura, hablando y utilizando movimientos o gestos.

PARA EL ADULTO

☐ El alumno se comunica utilizando únicamente el movimiento de su cuerpo.

☐ El alumno se integra con otros compañeros para jugar.

RETO: Colores y movimientos

Combinarás distintos movimientos de tu cuerpo como correr, saltar, lanzar, girar, rodar, gatear y muchos más.

Pídele a un adulto que te acompañe y juegue contigo. Corta una hoja blanca en cuatro partes iguales, colorea una de las partes de rojo, otra de verde, la siguiente de azul y la última de amarillo. Éstas serán tus tarjetas para jugar.

Cada color indicará el movimiento que tú decidas, por ejemplo:

- La tarjeta roja, saltar con un pie.
- La verde, correr.
- La azul, girar en tu lugar.
- La amarilla, gatear.

Materiales:

Hojas, crayones de colores.

Entrega a tu compañero de juego las cuatro hojas que coloreaste; él, sin hablar, te las mostrará una por una para que realices el movimiento indicado.

Ahora pídele que te muestre dos hojas de diferentes colores. Combina los movimientos para que te muevas tan ágil como una liebre. Puedes incluir hojas con otros colores y movimientos. Después de un rato, cambien de rol.

Reflexión

Comenta:
¿De qué otra manera comunicas ideas?

Un dato interesante

El movimiento es importante para los seres vivos, gracias a él podemos interactuar con las personas, los animales y los objetos.

PARA EL ADULTO

☐ El alumno ejecuta sin dificultad movimientos de la actividad.

☐ El alumno identifica y combina movimientos básicos (caminar, correr, saltar, rodar o lanzar algún objeto).

RETO: Ojos cerrados

Identificarás la importancia que tiene el sentido de la vista.

Este reto también lo puedes realizar en la escuela, pídele a tu profesor que les ayude a organizarlo. Sean cuidadosos para evitar accidentes. Pide a un adulto que te cubra los ojos para realizar las siguientes actividades: cepillarte los dientes, preparar tu mochila y amarrarte las agujetas.

Materiales:
Paliacate.

Ahora invita a alguien de tu familia a experimentar diversas actividades con los ojos tapados. Sean cuidadosos para evitar accidentes.

Reflexión

Comenta:
¿Qué sentiste al realizar las actividades con los ojos tapados?
¿Qué otro sentido te ayudó realizar las actividades con seguridad y confianza?

PARA EL ADULTO

☐ El alumno realiza con confianza sus movimientos.

☐ El alumno dialoga con sus compañeros sobre la importancia del sentido de la vista.

Consulta en...

Todos los sentidos son importantes. Para conocer más sobre ellos, revisa el libro de Anna García Pascual, *Juegos de los sentidos*, México, SEP-Ramón Llaca, 2006 (Libros del Rincón, Biblioteca Escolar).

RETO: Uñitas

Controlarás cambios de velocidad.

Necesitas un compañero que sea más o menos de tu mismo tamaño y peso. Párense uno frente al otro y extiendan los brazos; ahora enganchen sus manos fuertemente con los dedos. Es importante que tengan las uñas cortas para no lastimarse.

Ustedes tienen el control de la velocidad. Empiecen a girar lentamente y vayan acelerando según lo deseen. Para evitar accidentes tengan mucho cuidado de no soltarse. Hagan el ejercicio en un espacio sin obstáculos, preferentemente en un área verde.

Reflexión

Explica:
Al aumentar la velocidad también aumenta el riesgo de sufrir un accidente. ¿Qué hicieron para evitarlo?
¿Cómo utilizaste tu cuerpo para controlar la velocidad?

PARA EL ADULTO

☐ El alumno controla la velocidad de sus movimientos.

☐ El alumno procura la seguridad de su compañero.

RETO: La carrera de la taparrosca

Combinarás movimientos como saltar y empujar.

Cada quien conseguirá un objeto pequeño como una taparrosca. Marquen una línea de salida y a cinco pasos coloquen una silla como meta.

Para mover el objeto cada participante avanzará de cojito y la empujará con la punta del pie, tendrá tres oportunidades para colocarlo debajo de la silla; si no lo logra, cuando llegue de nuevo su turno, volverá a tirar desde donde se quedó su objeto hasta conseguirlo.

Materiales:

Taparroscas de diferentes colores, una silla.

Tendrá tres oportunidades para colocarlo debajo de la silla. Si no lo logra, cuando llegue de nuevo su turno, volverá a tirar desde donde se haya quedado su objeto, hasta conseguirlo.

Pueden modificar la distancia de la línea de salida, cambiar el pie con el que empujan o hacer equipos. Ustedes fijen las reglas.

Con tus compañeros, busca otras posibilidades para jugar con los objetos.

Reflexión

Comenta:
¿Qué combinación de movimientos te pueden servir en alguna situación de tu vida diaria?

PARA EL ADULTO

☐ El alumno participa en juegos que le representan retos.

☐ El alumno realiza con facilidad movimientos combinados.

RETO: *Rally* enigmático

Participarás una actividad llamada *rally*, que te permitirá identificar los aprendizajes adquiridos en esta aventura.

En esta actividad es importante que un adulto te ayude a escribir las instrucciones en las tarjetas y a colocar las pistas en diferentes lugares de tu casa.

Materiales:

Hojas de reúso o tarjetas, lápiz.

El siguiente ejemplo ayudará al adulto a elaborar las pistas. Se escribe la primera pista y se entrega al jugador al inicio del juego.

Pista 1:	Ve al lugar donde se lava la ropa y contesta la pregunta: ¿cuánto es ocho más tres?

Cuando el participante responda de manera correcta se le entregará la siguiente pista:

Pista 2:	Busca el lugar donde te acuestas a descansar por las noches y baila unos pasitos modernos.

Cuando realice esta actividad se le entregará la siguiente pista:

Pista 3:	Busca el lugar donde se encuentra una persona que quieres mucho, dale un abrazo y pídele la siguiente pista.

El número de pistas será mayor de tres y tiene que incluir aspectos afectivos, de conocimientos y de **habilidades motrices**.

Es divertido localizar pistas, y es grato saber que el trabajo en equipo da mejores resultados, recuerda darle las gracias al adulto que te apoyó en este reto.

¡Evita accidentes! Realiza las actividades físicas en lugares seguros.

Reflexión

Explica:
¿En cuál pista usaste lo que conoces para resolverla?
¿En cuál aplicaste lo que sabes hacer?
¿En cuál hiciste algo que te gustó?

PARA EL ADULTO

☐ El alumno utiliza los conocimientos adquiridos en otros retos.

☐ El alumno ejecuta con facilidad las actividades del *rally*.

MIS EXPERIENCIAS

Recuerda llenar tu bitácora

Dibújate realizando algún ejercicio o actividad que hayas inventado, solo o con tus compañeros.

Bitácora de juegos y ejercicio
Revisa en el calendario los meses de marzo y abril, y comenta con tus compañeros.

¿Cuántas actividades realizaste en estos meses?

En el lugar donde vives, ¿cuál es un espacio adecuado para realizar actividad física? ¿Por qué?

Al término de cada aventura, sella o coloca una paloma (✔) en tu pasaporte.

Aventura 5

De mis movimientos básicos al juego

Esta aventura te permitirá explorar y descubrir que, mediante la combinación de movimientos simples (correr, saltar, lanzar o atrapar, entre otros), puedes mejorar tu desempeño y conducta motriz al enfrentar retos en tus actividades diarias, tanto en la escuela como con tu familia.

RETO: La caja móvil

Realizarás combinaciones de movimientos.

El **desafío** consiste en introducir pelotas de papel en una caja de cartón. Trata de hacerlo dando un giro y lanzando, rodando sobre el suelo y lanzando. Intenta otras combinaciones.

De manera coordinada, dos participantes muevan la caja, jalándola con los cordones atados a cada lado para que se deslice por el suelo.

PELOTAS

Materiales:

Caja de cartón, pelotas de papel de reúso y dos cordones.

Alternen la mano con la que lanzan la pelota, usen una caja más grande o una más pequeña, y cambien el movimiento de ésta. Pónganse de acuerdo sobre cómo decidirán a quién le toca mover la caja.

Reflexión

Comenta:

¿Qué formas de lanzar acordaste con tus compañeros?

¿Qué combinación de movimientos de tu cuerpo te pareció más divertida?, ¿por qué?

PARA EL ADULTO

☐ El alumno participa en la elaboración del material.

☐ El alumno propone diferentes combinaciones de movimientos.

RETO: **Carreritas**

Explorarás tu equilibrio al desplazarte de manera rápida o lenta.

Camina sobre diferentes objetos. Busca banquetas, rieles, vigas, troncos o rocas que veas en el camino para que avances sobre ellas. ¡Debes hacerlo con mucho cuidado para evitar una caída!

Invita a tus amigos a demostrar sus habilidades y a inventar nuevas formas de jugar utilizando estos retos.

Reflexión

Explica:

¿Cómo fue tu desempeño en este reto?

¿Quién logró un desplazamiento continuo, sin perder el equilibrio, de manera lenta y rápida?

Un dato interesante

Los oídos sirven para escuchar y también ayudan a mantener el equilibrio.

PARA EL ADULTO

☐ El alumno mantiene el equilibrio en un desplazamiento rápido.

☐ El alumno mantiene el equilibrio en un desplazamiento lento.

RETO: Un buen control

Identificarás algunas habilidades que has desarrollado.

En equipos, tracen en el suelo un área de juego con las siguientes figuras:

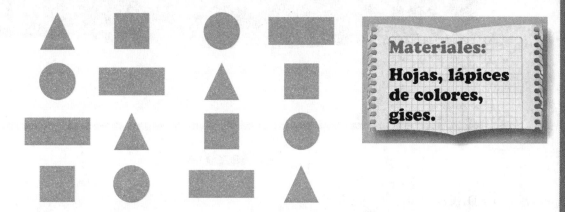

Materiales:

Hojas, lápices de colores, gises.

Necesitas dos juegos de tarjetas. Para hacerlos, corta hojas de papel en cuatro partes, cada una de las cuales será una tarjeta. Copia en un juego de tarjetas los dibujos siguientes:

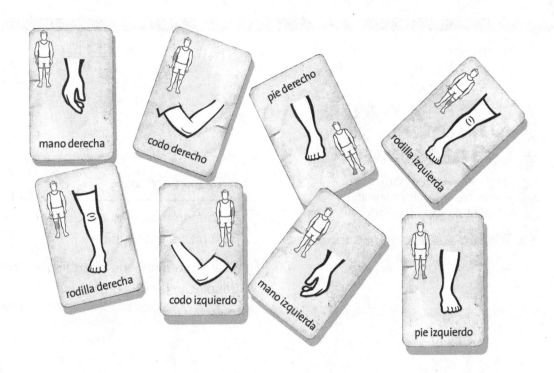

mano derecha

codo derecho

pie derecho

rodilla izquierda

rodilla derecha

codo izquierdo

mano izquierda

pie izquierdo

Ahora copia el segundo juego de tarjetas:

Coloca de un lado el juego de tarjetas de las partes del cuerpo, y del otro las figuras geométricas. Párense en el área que dibujaron en el suelo y elijan quién pasará a mostrar las tarjetas. El elegido toma una de cada lado e indica en qué figura colocarán la parte del cuerpo que señala la tarjeta.

Reflexión

Describe:
En este reto, ¿qué habilidades utilizaste con mayor frecuencia?
¿A qué dificultades te enfrentaste durante el reto?
¿Cómo las resolviste?

PARA EL ADULTO

☐ El alumno identifica las habilidades que ha logrado mejorar.

☐ El alumno busca diferentes opciones para resolver situaciones complicadas.

RETO: **Dominar la pelota**

Usarás la imaginación y creatividad para controlar y combinar tus movimientos.

Materiales:

Pelota.

El desafío consiste en cambiar de posición (sentarte, pararte, acostarte, arrodillarte o inclinar tu cuerpo, entre otras) para golpear la pelota y atraparla con diferentes partes de tu cuerpo.

Combina, con imaginación y creatividad, los movimientos de tu cuerpo. ¡Inténtalo!

Para disfrutar el desafío, utiliza música de tu agrado para acompañar esta actividad.

Reflexión

Describe:
¿En qué actividades de la sesión de Educación Física has utilizado combinación de movimientos?

Consulta en...

Para conocer más juegos con pelota, revisa el libro de Eulalia Pérez y María Rius, *Los 100 mejores juegos infantiles*, México, SEP-Océano, 2005 (Libros del Rincón, Biblioteca Escolar), el apartado "Juegos de pelota".

PARA EL ADULTO

☐ El alumno se expresa con facilidad al hacer uso de su imaginación.

☐ El alumno utiliza las distintas posiciones para favorecer sus movimientos.

RETO: **Gusaniños**

Experimentarás diferentes maneras de desplazarte.

Uno de los movimientos básicos que puedes hacer con tu cuerpo es gatear, para ello generalmente utilizas seis puntos de apoyo: las manos, las rodillas y las puntas de los pies; intenta desplazarte eliminando uno a uno estos puntos de apoyo.

El gran desafío consiste en desplazarte sin utilizar ninguno de los apoyos anteriores. Piensa cómo lo harías.

Reflexión

Comenta:
¿Qué desplazamientos utilizas más en Educación Física?
¿En qué desplazamientos has mejorado?

PARA EL ADULTO

☐ El alumno propone diversas maneras para desplazarse.

RETO: Mi estrategia

Reconocerás los aprendizajes adquiridos en Educación Física.

Con ayuda de un adulto elabora un recorrido utilizando diversos materiales. Incluye todos los movimientos básicos que has conocido en Educación Física (correr, saltar, empujar, jalar, lanzar, atrapar, rodar y girar, entre otros).

Materiales:

Diversos materiales del entorno como escobas, sillas, macetas, cuerdas, tablas.

Primero identifica los materiales que puedes usar; luego, diseña un recorrido y dibújalo en el siguiente espacio. Por último, llévalo a la práctica.

Espacio para el diseño de tu recorrido

PARA EL ADULTO

☐ El alumno emplea los aprendizajes adquiridos en Educación Físca.

Reflexión

Explica:
¿Qué hiciste para organizar tu recorrido?
¿Cómo incluiste diferentes movimientos en tu recorrido?

MIS EXPERIENCIAS

Recuerda llenar tu bitácora

Dibuja algunos movimientos o actividades que se hayan convertido en un desafío.

Bitácora de juegos y ejercicio

Revisa en el calendario los meses de mayo, junio y julio, y comenta con tus compañeros.

¿Cuántas actividades realizaste en estos meses?

Explica qué cambios has notado en tu cuerpo al participar en las actividades de la bitácora.

Al término de cada aventura, sella o coloca una paloma (✔) en tu pasaporte.

- **Adoptar:** Tomar la postura de un personaje.
- **Aventura:** Actividad desconocida que te causa emociones como felicidad, miedo, preocupación o intranquilidad.
- **Colaboración:** Trabajar con otra u otras personas para alcanzar una meta.
- **Compromiso:** Es un acuerdo que se establece entre dos o más personas y contiene obligaciones.
- **Creatividad:** Es crear o inventar algo.
- **Desafío:** Obstáculo que tienes que superar con esfuerzo.
- **Enigmático:** Algo que encierra un misterio.
- **Germen:** Microorganismo — microbio o bacteria— que puede causar o transmitir enfermedades.
- **Glosario:** Lista de palabras acompañadas de su explicación que generalmente contiene aquellas con las que puedes tener dudas sobre su significado.
- **Hábil:** Que tiene la capacidad para hacer algo con facilidad.
- **Habilidad:** Capacidad que tienes o has adquirido para hacer las cosas.
- **Habilidades motrices:** Movimientos naturales que haces todo el tiempo como caminar, correr, saltar, lanzar o trepar.
- **Hábito:** Modo de proceder que has aprendido y que generalmente busca tu beneficio, por ejemplo: lavarte las manos antes de consumir cada alimento.

- **Icono:** Imagen que representa una idea para no hacerlo con palabras.
- **Imitar:** Hacer lo mismo que otra persona, animal u objeto.
- **Mímica:** Expresar pensamientos, sentimientos o acciones por medio de gestos o ademanes.
- **Motriz:** Toda función que realizan el esqueleto, los músculos y el sistema nervioso, que te permite desplazarte y realizar movimientos.
- *Rally* **(palabra inglesa):** Juego que realizas en diferentes etapas, en el cual sigues indicaciones u órdenes que te conducen a una meta.
- **Reflexión:** Proceso que desarrollas en tu mente para dar respuesta a problemas que te afectan, por ejemplo: cuando pierdes tu juguete favorito tienes que reflexionar para recordar dónde lo dejaste.
- **Reto:** Algo difícil de alcanzar, pero que deseas lograr porque te diverte o estimula tu imaginación o tu cuerpo.
- **Sugerencia:** Lo que una persona propone para hacer mejor las cosas.
- **Vitamina:** Son sustancias que en pequeñas cantidades se encuentran en algunos alimentos. Ayudan a tu cuerpo a defenderse de enfermedades y a mantenerte sano.

PASAPORTE A LA DIVERSIÓN

Datos del titular

Nombre:_____

Apellidos: _____

Fecha de nacimiento: _____

Dirección: _____

_____

Estado civil:_____

Estatura:_____   Peso:_____

Color de ojos: _____

Color de piel:_____

Tipo de cabello:_____

Señas particulares:_____

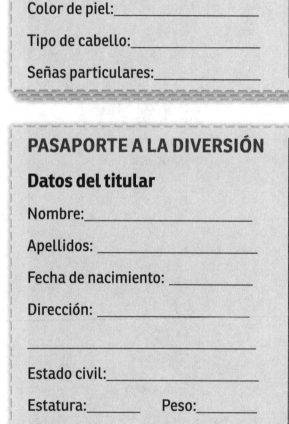

Foto/dibujo

Huella digital

_____
Firma de titular

PASAPORTE A LA DIVERSIÓN

Datos del titular

Nombre:_____

Apellidos: _____

Fecha de nacimiento: _____

Dirección: _____

_____

Estado civil:_____

Estatura:_____   Peso:_____

Color de ojos: _____

Color de piel:_____

Tipo de cabello:_____

Señas particulares:_____

Foto/dibujo

Huella digital

_____
Firma de titular

¿Qué opinas de tu libro?

Tu opinión es importante para que podamos mejorar este libro de *Educación Física. Primer grado.*
Marca con una **X** el círculo de la respuesta que mejor exprese lo que piensas.

1. ¿Te gustaron los retos?
   Mucho ⬤   Poco ⬤   No me gustaron ⬤

2. ¿Las instrucciones de los retos fueron claras?
   Siempre ⬤   A veces ⬤   Nunca ⬤

3. ¿Te gustaron las imágenes?
   Mucho ⬤   Poco ⬤   No me gustaron ⬤

4. ¿Las imágenes te ayudaron a entender las actividades?
   Todas ⬤   Algunas ⬤   Ninguna ⬤

5. ¿Te fue fácil conseguir los materiales?
   Siempre ⬤   A veces ⬤   Nunca ⬤

6. ¿Las preguntas de las reflexiones fueron claras?
   Siempre ⬤   A veces ⬤   Nunca ⬤

7. ¿El glosario te ayudó a entender las palabras desconocidas?
   Siempre ⬤   A veces ⬤   Nunca ⬤

8. ¿Quién te ayudó a contestar el cuadro para el adulto?
   Madre ⬤   Padre ⬤   Otro familiar ⬤   Nadie ⬤

Los retos te permitieron:

	Mucho	Poco	Nada
9. Mejorar en tus actividades cotidianas.	⬤	⬤	⬤
10. Jugar con amigos o compañeros de escuela.	⬤	⬤	⬤
11. Convivir con los adultos de tu familia.	⬤	⬤	⬤
12. Hacer las cosas por ti mismo.	⬤	⬤	⬤

13. ¿Te gustaría hacer sugerencias a este libro?

Si tu respuesta es sí, escribe cuáles son:

_____
_____
_____
_____
_____

¡Gracias por tu participación!

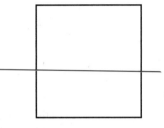

SEP

Dirección General de materiales Educativos
Dirección de Desarrollo e Innovación de Materiales Educativos
Viaducto Río de la Piedad 507, cuarto piso,
Granjas México, Iztacalco,
08400, México, D. F.

Datos generales

Entidad: _____

Escuela: _____

Turno: Matutino   Vespertino   Escuela de tiempo completo

Nombre del alumno: _____

Domicilio del alumno: _____

Grado: _____